这是我的书 It's MY BOOK 6 6级：300字

鲁米和他的小猫

作者：程以克（Vicki Cheng）
插图：陶红亮（Hongliang Tao）

U1002979

北京语言大学出版社
BEIJING LANGUAGE AND CULTURE UNIVERSITY PRESS
PHOENIX TREE PUBLISHING INC.

识 读 热爱 开玩笑 病 生物

句 型 因为……

字 数 310 字

lǔ mǐ shì gǔ dài bō sī yǒu míng de shī rén tā
鲁米是古代波斯有名的诗人，他
xiě le hěn duō yōu měi dòng rén de shī gē jǐ bǎi
写了很多优美动人的诗歌。几百
nián lái hěn duō guó jiā de rén dōu rè ài tā
年来，很多国家的人都热爱他。

yì tiān yǒu gè rè ài lǔ mǐ de měi guó rén qù

一天，有个热爱鲁米的美国人去

tǔ ěr qí kàn tā de mù dì zài nà li tā jiàn

土耳其看他的墓地。在那里，他见

dào le yí gè lǎo tài tai

到了一个老太太。

lǎo tài tai shuō lǔ mǐ bú shì yí gè rén zài mù
老太太说：“鲁米不是一个人在墓

dì li měi guó rén shuō nǐ zài kāi wán xiào
地里。”美国人说：“你在开玩笑

ba tā xiǎng lǔ mǐ de mù dì li hái néng yǒu
吧！”他想：鲁米的墓地里还能有

shén me rén ne
什么人呢？

lǎo tài tai xiào zhe shuō zhè nǐ jiù bù zhī dào
老太太笑着说："这你就不知道

le tā jiǎng le yí gè gù shi
了。"她讲了一个故事。

lǔ mǐ yǒu yì zhī xīn ài de xiǎo māo zhè zhī xiǎo māo hé tā yì
鲁米有一只心爱的小猫，这只小猫和他一
qǐ shēng huó le hěn duō nián lǔ mǐ shēng bìng shí xiǎo māo tiān tiān
起生活了很多年。鲁米生病时，小猫天天
shuì zài lǔ mǐ shēn biān lǔ mǐ qù shì de nà tiān xiǎo māo tiào
睡在鲁米身边。鲁米去世的那天，小猫跳
xia chuáng shāng xīn de duǒ zài fáng zi de yì jiǎo shén me dōng xi
下床，伤心地躲在房子的一角，什么东西
dōu bù chī hěn kuài tā yě sǐ qu le
都不吃。很快，它也死去了。

rén men bǎ lǔ mǐ fàng jin mù dì shí tā de nǚ ér qǐng qiú dà
人们把鲁米放进墓地时，他的女儿请求大
jiā ràng zhè zhī māo yě yì qǐ qù ba dà jiā wèn wèi shén
家：“让这只猫也一起去吧！”大家问为什
me lǔ mǐ de nǚ ér shuō yīn wèi dì qiú shang de shēng wù dōu
么，鲁米的女儿说：“因为地球上的生物都
shì wǒ bà ba de péng you ér zhè zhī xiǎo māo shì bà ba zuì hǎo
是我爸爸的朋友，而这只小猫是爸爸最好
de péng you bà ba hé xiǎo māo zài yì qǐ huì hěn kāi xīn de
的朋友。爸爸和小猫在一起会很开心的。”

xiàn zài zhè zhī xiǎo māo jiù hé lǔ mǐ zài yì qǐ
现在，这只小猫就和鲁米在一起，
yǒng yuǎn shuì zài lǔ mǐ de xīn kǒu shang
永远睡在鲁米的心口上。

1 鲁米是古代波斯有名的诗人，他写了很多优美动人的诗歌。几百年来，很多国家的人都热爱他。

2 一天，有个热爱鲁米的美国人去土耳其看他的墓地。在那里，他见到了一个老太太。

3 老太太说："鲁米不是一个人在墓地里。"美国人说："你在开玩笑吧！"他想：鲁米的墓地里还能有什么人呢？

4 老太太笑着说："这你就不知道了。"她讲了一个故事。

5 鲁米有一只心爱的小猫，这只小猫和他一起生活了很多年。鲁米生病时，小猫天天睡在鲁米身边。鲁米去世的那天，小猫跳下床，伤心地躲在房子的一角，什么东西都不吃。很快，它也死去了。

6 人们把鲁米放进墓地时，他的女儿请求大家："让这只猫也一起去吧！"大家问为什么，鲁米的女儿说："因为地球上的生物都是我爸爸的朋友，而这只小猫是爸爸最好的朋友。爸爸和小猫在一起会很开心的。"

7 现在，这只小猫就和鲁米在一起，永远睡在鲁米的心口上。

1
2
3
4
5
6

7

看图讲故事